# ARISTOTE

D0656865

## Invitation à la philosophie
## (Protreptique)

Traduction du grec et postface par
**Jacques Follon**

Couverture de
Olivier Fontvieille

**ÉDITIONS MILLE ET UNE NUITS**

**ARISTOTE**
n° 283

Texte intégral

Notre adresse Internet : www.1001nuits. com

© Mille et une nuits, département de la Librairie Arthème Fayard,
mai 2000 pour la présente édition.
ISBN : 2-84205-448-2

# Sommaire

# ARISTOTE

# Invitation à la philosophie

## NOTE SUR LA TRADUCTION

*Pour la traduction et la présentation des fragments du* Protreptique *d'Aristote, nous avons suivi le texte et l'ordre établis par Ingemar Düring dans* Aristotle's Protrepticus. An Attempt at Reconstruction *(Göteborg, 1961). Outre la traduction anglaise qui figure dans ce dernier ouvrage, celle de A.-H. Chroust* (Aristotle : Protrepticus. A Reconstruction, Notre-Dame, 1964) *et celle, plus ancienne, publiée par Sir David Ross dans le volume XII de* The Works of Aristotle *(Oxford, 1952), nous avons consulté avec profit l'excellente version italienne d'Enrico Berti :* Aristotele. Esortazione alla filosofia *(Padoue, 1969) ainsi que la traduction française du* Protreptique *de Jamblique éditée, avec le texte grec en regard, par le R.P. Édouard des Places dans la prestigieuse collection des Belles Lettres (Paris, 1989). Les intertitres sont évidemment de nous.*

*Soucieux de nous adresser au public cultivé entendu dans le sens le plus large, et cela dans l'esprit même d'un tel protreptique (dont le but était d'exhorter à la philosophie en utilisant un style relativement clair et simple), nous avons voulu donner de cet opuscule pédagogique d'Aristote une version française évi-*

tant, autant que possible, le double piège de la littéralité et de l'érudition. C'est dire que nous n'avons pas essayé de fournir ici une traduction scientifique et complète de l'ensemble des fragments de cet ouvrage qui sont parvenus jusqu'à nous. En particulier, nous n'avons pas retenu ceux que Düring a mis entre crochets dans son édition, parce que leur langue ne concordait pas exactement avec l'usage d'Aristote et s'avérait plus ou moins influencée par le style personnel de Jamblique. Notre objectif était plutôt d'offrir à des profanes en philosophie un texte écrit dans un langage accessible à l'honnête homme et donc dénué, autant que possible, de technicité. Plus précisément, nous avons tenté de rendre dans un français à la fois clair et didactique la clarté quelque peu scolaire, voire répétitive, du grec d'Aristote, sans chercher à en améliorer artificiellement le style parfois raboteux. Dans le même ordre d'idées, nous avons limité les notes à ce qui était absolument nécessaire pour faciliter la compréhension de certains passages pouvant présenter une difficulté pour le lecteur moderne. Il nous est aussi arrivé d'ajouter entre crochets quelques mots au texte, afin d'en faciliter la compréhension. En outre, dans la mesure du possible, nous nous sommes efforcé de rendre les mêmes mots lexicaux grecs par les mêmes mots lexicaux français, tout comme nous avons cherché à traduire les mots grecs appartenant à une même famille linguistique par des mots français apparentés. Enfin, et toujours pour rester fidèle à l'esprit de cet écrit d'initiation, nous avons cherché à « décrasser » et à ravaler le vocabulaire philosophique d'Aristote en le débarrassant des couches de sédiments techniques déposés par plus de deux millénaires de commentaires savants et de tradition scolaire ou universitaire. En conséquence, dans le cas précis des termes philosophiques, nous avons résolument opté pour des traductions plus proches du français courant que les traductions consacrées par l'usage. C'est ainsi, par exemple, que nous avons *continûment traduit le mot grec δύναμις par le mot français « capacité », au lieu du traditionnel « puissance », ou le mot τέλος par « accomplissement », plutôt que par le classique « fin ». De la sorte, nous avons tenté de rendre à ces mots quelque chose de leur teneur originelle ou, du moins, quelque chose des harmoniques dont ils résonnaient, pensons-nous, aux oreilles des contemporains d'Aristote, qui ne les entendaient probablement pas avec le sens technique qu'ils reçurent par après. Un lexique grec-français de ces principaux termes permettra, du reste, au lecteur de prendre connaissance d'emblée de nos choix de traduction.*

# Invitation à la philosophie

## I. PROLOGUE

Il n'y a personne, Thémison [1], qui ait plus de biens que toi pour philosopher. Car tu as de grandes richesses, de sorte que tu peux faire des dépenses dans ce but, et, en outre, tu jouis d'une certaine renommée.

Ces choses [les richesses] peuvent pourtant empêcher de poser un acte qu'on a choisi comme un devoir [2]. C'est pourquoi, contemplant l'infortune de ces gens [3], il faut l'éviter et considérer que le bonheur n'est pas dans le fait d'avoir acquis une foule de choses, mais plutôt dans la manière dont l'âme est disposée. Car on peut affirmer que ce n'est pas le corps paré d'un vêtement magnifique qui est bienheureux, mais celui qui a une bonne santé et de sérieuses dispositions, même si aucune des choses qu'on vient de dire n'est à sa portée. De même, si une âme a été éduquée, c'est une telle âme et un tel homme qui doivent être appelés « heureux », et non point l'homme magnifiquement pourvu de biens extérieurs, mais qui ne vaut rien par lui-même. En effet, si un cheval a un mors en or et un harnachement somptueux, mais qu'il a des défauts, nous ne considérons pas qu'il vaut quelque chose ; mais c'est plutôt quand il a des dispositions sérieuses que nous en faisons l'éloge.

En outre, à ceux qui ne valent rien, il arrive, quand ils se trouvent avoir des ressources, que ces acquisitions ont pour eux plus de valeur que les biens de l'âme, ce qui est vraiment le comble de la vilenie ! Car de même qu'un homme devient ridicule quand il est inférieur à ses domestiques, de même ceux auxquels il arrive de donner plus de valeur à leurs acquisitions qu'à leur nature particulière [4], il faut les considérer comme misérables.

Et il en est vraiment ainsi. Car, comme dit le proverbe, la surabondance enfante l'insolence, de même que le manque d'éducation joint à de grands moyens engendre la folie. En effet, pour ceux qui sont dans de mauvaises dispositions en ce qui concerne les choses de l'âme, ni la richesse, ni la force, ni la beauté ne sont des biens. Mais d'autant plus ces dernières dispositions [5] surabondent, d'autant plus gravement et plus souvent nuisent-elles à celui qui les a acquises, si elles sont présentes sans sagesse. Car l'expression « Pas de couteau à un enfant ! » revient à dire de ne pas mettre de grands moyens entre les mains de gens qui ont des défauts.

## II. Pourquoi il faut philosopher

Tout le monde admettra que la sagesse provient de l'étude et de la recherche des choses que la philosophie nous a donné la capacité [d'étudier], si bien que, d'une manière ou d'une autre, il faut philosopher sans faux-fuyants… [6]

Il y a des cas où, en acceptant toutes les significations d'un mot, il est possible de démolir la position soutenue par l'adversaire en se référant à chacune des significations. Par exemple, supposons que quelqu'un dise qu'il n'est pas nécessaire de philosopher : puisque « philosopher » veut dire aussi bien « chercher s'il faut philosopher ou non » que « poursuivre la contemplation philosophique », en montrant que l'une et l'autre de ces activités sont propres à l'homme, nous détruirons complètement la position défendue par l'adversaire.

De plus, il y a des sciences qui produisent chacune des commodités de la vie, et d'autres qui font usage des premières, de même qu'il y en a qui sont servantes, et d'autres prescriptives : dans ces dernières, en tant qu'elles sont plus aptes à diriger, se trouve ce qui est souverainement bon. Dès lors, si seule la science qui a la rectitude du jugement, qui use de la raison et qui contemple le bien dans sa totalité (c'est-à-dire la philosophie) est capable d'user de toutes les autres et de leur donner des prescriptions conformes à la nature, il faut, de toute manière, philosopher, puisque seule la philosophie contient en soi le jugement correct et la sagesse prescriptive infaillible.

### III. LA PHILOSOPHIE
#### EST L'ACCOMPLISSEMENT NATUREL DE L'HOMME

Parmi les choses engendrées, les unes sont engendrées par une pensée et par un art, comme une habitation ou un navire (car la cause de ces deux choses est un art ou une pensée), tandis que les autres ne le sont grâce à aucun art, mais grâce à la nature. En effet, la cause des animaux et des plantes est la nature, et toutes les choses de ce genre sont engendrées conformément à la nature. Mais certaines choses sont aussi engendrées grâce au hasard. En effet, toutes celles qui ne sont engendrées ni grâce à un art, ni grâce à la nature, ni par suite de la nécessité, nous disons qu'elles sont, pour la plupart, engendrées grâce au hasard.

Or aucune chose engendrée par hasard n'est engendrée en vue d'un but, et il n'y a pas pour elle d'accomplissement. En revanche, pour les choses engendrées par un art, il y a accomplissement et but poursuivi (car celui qui possède l'art [7] te donnera toujours la raison pour laquelle il a fait des dessins, ainsi que le but qu'il poursuivait), et ce but est meilleur que ce qui est engendré à cause de lui. Je parle des choses dont l'art est cause par sa nature propre, et non par coïncidence. Car nous pouvons poser en principe qu'au sens propre [8] la médecine est cause de la santé plutôt que de la maladie, et que l'architecture est cause de l'habitation, mais non de sa démolition [9]! Tout ce qui existe conformément à l'art est donc engendré en vue d'un but, et celui-ci est son accomplissement le meilleur ; mais ce qui existe grâce au hasard n'est pas engendré en vue d'un but. Car, même s'il peut arriver que quelque chose de bon vienne aussi du hasard, conformément au hasard et en tant que cela vient du hasard ce n'est pas bon (ce qui est engendré conformément au hasard est toujours indéterminé).

Mais ce qui est engendré en conformité avec la nature l'est certainement en vue d'un but et est toujours constitué en vue d'un but meilleur que celui du produit de l'art. En effet, ce n'est pas la nature qui imite l'art, mais l'art qui imite la nature et qui existe pour aider et compléter ce que la nature a négligé. Car la nature semble capable d'accomplir certaines choses par elle-même et sans avoir besoin d'aucune aide, mais d'autres difficilement ou pas du tout. Un exemple immédiat est celui des genèses : n'est-il pas vrai que certaines semences, en quelque terre qu'elles tombent, germent sans protection, alors que d'autres ont en outre besoin de l'art du cultivateur ? À peu près de la même façon aussi, certains animaux assument par eux-mêmes toute leur nature, alors que l'homme a besoin de beaucoup d'arts pour sa préservation, aussi bien lors de la genèse première [10], que, plus tard, pendant la nutrition.

Si donc l'art imite la nature, c'est de celle-ci que s'ensuit, pour les arts aussi, le fait que toute genèse se produit en vue d'un but. Car on admettra que tout ce qui est engendré correctement est engendré en vue d'un but. Or ce qui est engendré d'une belle manière est engendré correctement. Et tout ce qui est ou a été engendré en conformité avec la nature est ou a été engendré d'une belle manière, s'il est vrai que ce qui va à l'encontre de la nature est défectueux et contraire à ce qui existe en conformité avec elle. Par conséquent, la genèse conforme à la nature se produit en vue d'un but.

C'est ce qu'on peut voir aussi à partir de chacune de nos parties. Par exemple, si tu réfléchis à la paupière, tu verras qu'elle n'a pas été engendrée en vain, mais bien pour aider les yeux, afin de leur procurer du repos et d'en interdire l'accès à ce qui agresse la vue. Le but dans lequel une chose a été engendrée est donc le même que celui dans lequel elle *devait* être engendrée : par exemple, si un navire *devait* être engendré en vue du transport maritime, c'est aussi pour cette raison qu'il a été engendré.

Or les animaux font partie des choses qui ont été engendrées naturellement, tous sans exception, ou du moins les meilleurs et les plus honorables [11]. Car cela ne fait aucune différence si l'on croit que la plupart d'entre eux ont été engendrés contre nature, pour détruire ou nuire. Au moins l'homme est-il le plus honorable d'entre les animaux d'ici-bas, de sorte qu'il est clair qu'il a été engendré par nature et en conformité avec la nature [12].

Ainsi, de toute chose, l'accomplissement est toujours meilleur [que la chose même], car toutes les choses engendrées sont engendrées en vue de leur accomplissement, et le but visé est meilleur, et même, de toutes choses, c'est la meilleure. D'autre part, l'accomplissement naturel est ce qui s'accomplit naturellement en dernier lieu dans l'ordre de la genèse, quand la genèse s'effectue continûment. Aussi est-ce d'abord ce qui relève du corps humain qui arrive à l'accomplissement, puis c'est ce qui relève de l'âme (c'est-à-dire que l'accomplissement du meilleur vient toujours, en quelque sorte, au terme de la genèse). Donc l'âme vient après le corps, et ce qui, parmi les qualités de l'âme, vient en dernier lieu est la sagesse. Car nous voyons que c'est naturellement la dernière chose à être engendrée chez les hommes. Et c'est pourquoi la vieillesse fait valoir ses droits sur ce seul bien. C'est donc une certaine sagesse qui est, conformément à la nature, notre accomplissement, et exercer la sagesse est le but ultime pour lequel nous avons été engendrés. Par conséquent, si nous avons été engendrés, il est clair que nous existons aussi en vue d'exercer la sagesse et de nous instruire.

Parmi ce qui existe, qu'est donc ce pour quoi la nature et la divinité nous ont engendrés? Interrogé là-dessus, Pythagore répondit : « Pour contempler le ciel. » Et lui-même déclarait être un contemplateur de la nature et être venu à la vie en vue de cela.

Et l'on affirme aussi qu'Anaxagore, interrogé sur le but en vue duquel on devrait choisir d'être engendré et de vivre, fit à cette question la réponse suivante : « Pour contempler le ciel et ce qu'il contient : les astres, la lune et le soleil », comme si tout le reste n'eût aucune valeur.

Dès lors, conformément à ce raisonnement du moins, Pythagore disait bellement que tout homme a été constitué par Dieu pour connaître et contempler. Mais quant à savoir si ce qui est à connaître est le cosmos ou bien quelque autre nature, c'est ce qu'il faudra sans doute examiner plus tard. Pour le moment, cela nous suffira comme première conclusion. En effet, si la sagesse est, conformément à la nature, notre accomplissement, alors, de toutes choses, exercer la sagesse sera la meilleure.

Par conséquent, les autres choses [13], il faut les réaliser en vue des biens engendrés en soi-même, et, parmi ces derniers, il faut réaliser ceux du corps en vue de ceux de l'âme, puis réaliser la vertu en vue de la sagesse ; car celle-ci est ce qu'il y a de plus élevé.

## IV. SELON LA NATURE ELLE-MÊME, LA PHILOSOPHIE EST L'ACTIVITÉ LA PLUS DIGNE D'ÊTRE CHOISIE PAR LES HOMMES

La nature tout entière, comme si elle était dotée de raison, ne produit rien au hasard. Au contraire, elle produit tout en vue d'un but : bannissant le hasard, elle s'est souciée du but plus que les arts, car les arts, on le sait, sont des imitations de la nature. Comme l'homme est naturellement constitué d'âme et de corps, que l'âme est supérieure au corps, et que toujours l'inférieur est au service du supérieur, le corps aussi existe en vue de l'âme. Mais rappelons-nous, dans l'âme il y a une partie rationnelle et une partie irrationnelle, c'est-à-dire inférieure, de sorte que la partie irrationnelle existe en vue de la partie rationnelle. Et l'intelligence se trouve dans la partie rationnelle, si bien que la démonstration mène nécessairement à la conclusion que tout existe en vue de l'intelligence.

D'autre part, les intellections de l'intelligence sont des opérations, car elles sont visions des choses intelligibles, de la même manière que l'opération de la capacité visuelle consiste à voir les choses visibles. C'est donc en vue de l'intellection et de l'intelligence que toute chose est digne d'être choisie par les hommes, s'il est vrai tout d'abord que tout le reste est digne d'être choisi en vue de l'âme, ensuite que l'intelligence est dans l'âme la partie la meilleure, et enfin que tout le reste subsiste en fonction du meilleur.

Et répétons-le [14] : parmi les pensées, sont libres celles qui sont dignes d'être choisies pour d'elles-mêmes, tandis que celles qui fondent la connaissance sur d'autres motifs ressemblent à des femmes esclaves [15]. Or partout ce qui est digne d'être choisi pour soi-même est supérieur à ce qui n'est digne d'être choisi que pour d'autres choses, parce que ce qui est libre est aussi supérieur à ce qui ne l'est pas.

Quand nos actions font usage de la pensée, même si l'agent y met à la base le profit et les mène en ce sens, néanmoins il suit certainement la pensée. Certes, il a besoin du corps comme d'un serviteur et il est aussi exposé au hasard. [Mais habituellement il accomplit ces actions où l'intelligence est souveraine, même si la plupart des actions sont accomplies avec le corps comme instrument.] [16]

Dès lors, parmi les pensées, celles qui sont dignes de choix à cause de la contemplation pure sont plus honorables et supérieures à celles qui sont utiles pour d'autres choses. Mais les contemplations sont honorables en elles-mêmes et, parmi elles, c'est le savoir de l'intelligence qui est digne de choix, alors que les pensées qui relèvent de la sagesse sont honorables à cause des actions [qui en découlent]. Par suite, le bon et l'honorable se trouvent dans les activités contemplatives qui relèvent du savoir, et certainement pas, répétons-le, dans n'importe quelles activités contemplatives.

Car ce par quoi nous différons des autres animaux brille seulement dans cette vie-là [17], où, disions-nous, il n'y a rien qui soit dû au hasard ou sans grande valeur. En effet, même s'il y a, chez eux aussi, de petites lueurs de raison et de sagesse, ils n'ont absolument aucune part au savoir contemplatif. Mais pour ce qui est des sensations et des impulsions, l'homme le cède en exactitude et en force à maints animaux.

## V. La philosophie est possible

Or donc, que nous sommes capables d'apprendre les sciences qui traitent de ce qui est juste et profitable, ainsi que celles qui traitent de la nature et du reste de la vérité, voilà qui est facile à montrer.

En effet, l'antérieur est toujours plus connaissable que le postérieur, et ce qui est meilleur par nature, plus connaissable que ce qui est moins bon. Car la science a pour objet le déterminé et l'ordonné plutôt que leurs contraires, et les causes plutôt que les effets. Or le bien est plus déterminé et ordonné que le mal, de même qu'un homme convenable est plus déterminé et ordonné qu'un homme qui a des défauts, car entre eux il y a nécessairement la même différence. Et l'antérieur est plus cause que le postérieur, car si le premier [l'antérieur] est supprimé, est supprimé ce qui tient de lui sa substance : les lignes sont supprimées si sont supprimés les nombres, les surfaces le sont aussi si ce sont lignes, les volumes si ce sont les surfaces, et ce qu'on appelle les syllabes si ce sont les lettres.

Par conséquent, s'il est vrai que l'âme est meilleure que le corps (en effet, elle est naturellement plus apte à gouverner), et que, pour le corps, il existe des arts et des sagesses, à savoir la médecine et la gymnastique (car nous tenons celles-ci pour des sciences et nous affirmons que certains les ont acquises), il est clair qu'il existe aussi, pour l'âme et les vertus de l'âme, un soin et un art, et que nous sommes capables de les apprendre, puisqu'il en existe également pour des réalités dont notre ignorance est plus grande et qui sont plus difficiles à connaître [18].

Il en va de même pour les choses de la nature. En effet, il est nécessaire qu'il y ait une sagesse des causes et des éléments, bien avant celle des choses qui en procèdent. Car ces dernières ne comptent pas parmi les réalités suprêmes et ce n'est pas d'elles que procèdent naturellement les réalités premières [19], mais c'est manifestement de celles-ci et par celles-ci que les autres choses sont engendrées et constituées.

En effet, que ce soit le feu, l'air, le nombre ou d'autres natures qui soient causes des autres choses et antérieures à elles [20], il est impossible de connaître l'une de ces autres choses en ignorant les premières. Car comment connaîtrait-on un mot en ignorant les syllabes, ou celles-ci en ne sachant aucune lettre ?

Ainsi, en ce qui concerne l'existence d'une science de la vérité et de la vertu de l'âme, et la raison pour laquelle nous sommes capables de l'apprendre, ce que nous venons d'en dire suffira.

## VI. LA PHILOSOPHIE EST LE PLUS GRAND DES BIENS

Par ailleurs, que ce soit là le plus grand des biens et celui qui dépasse en avantages tous les autres, c'est évident pour les raisons suivantes. Tous, en effet, nous admettons que doit gouverner celui qui est le plus sérieux et le meilleur par nature, et que la loi seule doit être gouvernante et souveraine. Or elle est une certaine sagesse, c'est-à-dire un raisonnement provenant de la sagesse.

En outre, quelle règle ou quelle détermination plus exacte de ce qui est bien peut-il y avoir pour nous, si ce n'est le sage? Car tout ce qu'il choisit en le choisissant conformément à la science, tout cela est bon, et le contraire mauvais.

Mais comme tous les hommes choisissent, avant tout, ce qui est conforme à leurs qualités propres (en effet, le juste choisit de vivre dans la justice; le courageux, dans le courage; le tempérant, dans la tempérance...), il n'est pas moins clair que le sage choisira avant tout d'exercer la sagesse [21], car c'est là l'œuvre de cette capacité [22]. Aussi est-il évident que, conformément au jugement qui s'impose souverainement, la sagesse est le meilleur des biens.

On peut voir la même chose plus clairement par ce qui suit. Exercer la sagesse et connaître sont en soi des choses dignes d'être choisies par les hommes (car il n'est pas possible de vivre comme des hommes sans elles), et c'est aussi utile pour la vie. En effet, il ne nous advient aucun bien qui ne soit pas accompli après que nous ayons calculé et œuvré conformément à la sagesse.

## VII. La philosophie est avantageuse en soi

Mais chercher à ce que toute science engendre autre chose [qu'elle] et à ce qu'elle soit nécessairement utile, c'est là le fait de quelqu'un qui ignore complètement à quel point le bien et le nécessaire sont séparés dès le principe. Car ils diffèrent on ne peut plus. En effet, parmi les choses sans lesquelles il est impossible de vivre, celles qu'on aime pour d'autres choses doivent être appelées choses nécessaires et causes auxiliaires, tandis que celles qu'on aime pour elles-mêmes, quand bien même rien d'autre n'en sortirait, il faut les appeler choses souverainement bonnes. Car ceci n'est pas digne d'être choisi pour cela, puis cela pour autre chose (en progressant ainsi, on va à l'infini!), mais on s'arrête quelque part. Il est donc tout à fait ridicule de chercher dans *toute* chose un profit autre que la chose même, et de demander : « Et alors, quel profit y a-t-il pour nous? », « Quelle utilité? ». Car vraiment, répétons-le, un tel individu ne ressemble en rien à celui qui sait ce qui est bel et bon, ni à celui qui fait la distinction entre cause et cause auxiliaire.

On verrait que nous disons là tout ce qu'il y a de plus vrai si quelqu'un nous transportait en pensée, par exemple, dans les îles des Bienheureux. Car là-bas on n'aurait besoin de rien et l'on ne retirerait aucun avantage d'aucune autre chose : il ne subsisterait que la pensée et la contemplation, ce que même maintenant nous disons être la vie libre. Mais si c'est vrai, comment ne se sentirait-il pas honteux à juste titre, celui d'entre nous qui, l'occasion se présentant d'habiter dans les îles des Bienheureux, en serait incapable par sa propre faute? Elle n'est donc pas méprisable, la récompense que les hommes obtiennent de la science! Et il n'est pas petit non plus, le bien qu'elle engendre! En effet, de même que, comme l'affirment les poètes qui détiennent le savoir, dans l'Hadès nous recevons les gratifications de la justice, de même, dans les îles des Bienheureux on devrait recevoir, semble-t-il, celles de la sagesse.

Il n'est donc nullement étrange que celle-ci ne paraisse ni utile ni avantageuse. Car nous n'affirmons pas qu'elle est avantageuse, mais bonne, et il ne convie pas de la choisir pour autre chose, mais bien pour elle-même. En effet, nous faisons le voyage d'Olympie en vue du seul spectacle, même s'il ne doit y avoir rien en plus (car en elle-même la contemplation est supérieure à une grande quantité d'argent). De même, quand nous contemplons les représentations dionysiaques, ce n'est pas pour recevoir quelque chose de la part des acteurs (au contraire, nous les payons), et nous choisirions beaucoup d'autres spectacles de préférence à une grande quantité d'argent [23]. Eh bien ! de la même façon, on doit faire honneur à la contemplation du Tout plus qu'à toutes les choses qui semblent utiles. Car il ne faut pas, je suppose, d'une part prendre très au sérieux des voyages entrepris dans le but de contempler des hommes qui imitent des femmes et des esclaves, ou qui combattent et qui courent, et d'autre part ne pas croire devoir contempler gratuitement la nature et la vérité des êtres !

## VIII. La philosophie est aussi avantageuse pour la vie humaine

Mais que la sagesse contemplative nous procure aussi de grands avantages pour la vie humaine, on le découvrira facilement à partir des arts. En effet, de même que les médecins compétents et la plupart des experts en gymnastique admettent volontiers que ceux qui se destinent à être de bons médecins ou de bons gymnastes doivent avoir l'expérience de la nature, de même les bons législateurs doivent aussi avoir l'expérience de la nature, même beaucoup plus que les premiers. Car les uns sont seulement des artisans de la vertu du corps, mais les autres, qui s'occupent des vertus de l'âme et prétendent donner des enseignements sur le bonheur et le malheur de l'État, ont un besoin bien plus grand de philosophie.

En effet, dans les autres arts (ceux des artisans), c'est en partant de la nature qu'on a découvert les meilleurs instruments, comme dans la construction le fil à plomb, la règle, le compas, que nous avons empruntés, les uns à l'eau, les autres à la lumière et aux rayons du soleil. Et c'est en en jugeant d'après eux que nous vérifions ce qui est, pour la sensation, suffisamment droit et lisse. Eh bien, de la même façon, l'homme politique doit avoir certains critères tirés de la nature elle-même et de la vérité, d'après lesquels il juge de ce qui est juste, de ce qui est beau, de ce qui est profitable... En effet, de même que là [24] les instruments en question [25] se distinguent entre tous, de même la loi la plus belle est celle qui est instaurée dans la plus grande conformité avec la nature.

Mais cela, il n'est pas possible que celui qui n'a pas philosophé ni connu la vérité soit capable de le faire. Dans les autres arts, les gens atteignent un certain niveau de savoir en empruntant les instruments et les calculs les plus exacts, non pas aux réalités premières elles-mêmes, mais aux réalités secondes, troisièmes, ou énièmes, et ils tirent leurs raisonnements de l'expérience. Mais c'est au philosophe, seul parmi tous, qu'appartient l'imitation à partir des réalités exactes elles-mêmes, car c'est de celles-ci qu'il est contemplateur, et non pas d'imitations.

De même donc que n'est pas un bon constructeur celui qui n'utilise ni règle ni aucun autre instrument de cette sorte, mais s'en remet à d'autres constructions, de même aussi, sans doute, si on établit des lois pour les États ou qu'on exerce des activités [politiques] en regardant et en imitant d'autres activités ou constitutions humaines (celles des Lacédémoniens, des Crétois, ou d'autres États de ce genre), on n'est pas un bon législateur ni un homme sérieux. Car il n'est pas possible que l'imitation de ce qui n'est pas beau soit belle, ni que celle de ce qui n'est pas divin et stable par nature soit immortelle et stable. Cependant, il est clair que, parmi les artisans, le philosophe est le seul dont les lois soient stables, et les activités droites et belles.

Seul, en effet, il vit en ayant le regard tourné vers la nature et le divin, et, à l'instar d'un bon timonier [qui s'oriente d'après les étoiles], c'est après avoir arrimé les principes de sa vie aux réalités éternelles et fixes qu'il s'élance [26] et vit par lui-même.

Cette science [la sagesse] est donc contemplative, mais elle nous permet d'être les artisans de tout en conformité avec elle. C'est comme la vue : elle n'est productrice ni artisane de rien (car son seul travail est de juger et de montrer chacune des choses visibles), mais elle nous permet d'agir grâce à elle et nous aide grandement dans nos activités (car, sans elle, nous serions presque totalement immobilisés). De la même manière, il est clair que, bien que la science soit contemplative, nous menons des milliers d'activités en conformité avec elle : nous saisissons telles choses, fuyons telles autres et, d'une manière générale, nous acquérons, grâce à elle, tous les biens.

Celui qui veut examiner soigneusement ces questions ne doit donc pas oublier que tout ce qui est bon et avantageux pour la vie humaine est dans l'usage et dans l'action, et pas seulement dans la connaissance. Car nous ne devenons pas sains en apprenant à connaître les choses qui produisent la santé, mais bien en appliquant celles-ci à nos corps. De même, nous ne devenons pas riches en connaissant la richesse, mais bien en acquérant une grande fortune. Et ce qui est le plus important de tout : nous ne menons pas une vie bonne en connaissant certains êtres, mais en agissant bien. Car être vraiment heureux, c'est cela. Il s'ensuit que la philosophie aussi, s'il est vrai qu'elle est avantageuse, doit être ou bien l'exercice de bonnes activités, ou bien une chose utile pour de telles activités.

Il ne faut donc pas fuir la philosophie, s'il est vrai que la philosophie est, comme nous le croyons, acquisition et usage du savoir, et que le savoir est parmi les plus grands biens. Et il ne faut pas non plus, pour l'argent, naviguer vers les colonnes d'Hercule et courir de nombreux risques, alors que, pour la cause de la sagesse, on ne supportera ni souffrance ni dépense. C'est le propre d'un esclave de souhaiter ardemment de vivre sans vivre *bien* [intellectuellement et moralement parlant], de suivre les opinions du vulgaire au lieu de prétendre que le vulgaire suive les nôtres, et de rechercher l'argent sans prendre le moindre soin de ce qui est beau. Concernant l'avantage et l'importance de la chose [la philosophie], je considère que cette démonstration suffit.

## IX. La philosophie est facile à apprendre

D'autre part, que l'acquisition en soit beaucoup plus facile que celle des autres biens, on peut s'en convaincre par ce qui suit.

En effet, le fait que ceux qui philosophent ne reçoivent des hommes aucun salaire pour lequel ils se donneraient toute cette peine, le fait aussi qu'après avoir concédé aux autres arts une grande avance [27], ils ont pourtant, en peu de temps, pris la tête de la course à l'exactitude, voilà qui me semble un signe de la facilité de la philosophie.

Et encore le fait que tout le monde s'y sente chez soi et veuille s'y consacrer en laissant tomber tout le reste, n'est pas un mince témoignage de ce que l'assiduité dont on fait preuve à son égard s'accompagne de plaisir. Car personne ne veut souffrir très longtemps. De plus, l'usage en est considérablement différent de tous les autres. Car, pour y œuvrer, on n'a nul besoin d'instruments ou de lieux [particuliers], mais, en quelque endroit du monde habité où l'on fixe la pensée, de partout on atteint identiquement la vérité comme si elle y était présente.

On a donc démontré que la philosophie est possible, qu'elle est le plus grand des biens et qu'elle est facile à acquérir. Aussi mérite-t-elle, pour toutes ces raisons, qu'on s'y attache avec ardeur.

## X. La philosophie est, de toutes choses, la plus digne de choix

En outre, une des parties en nous est l'âme, l'autre est le corps ; l'une gouverne, l'autre est gouvernée ; l'une utilise, l'autre est soumise comme un instrument. Or toujours l'utilisation de ce qui est gouverné et qui est un instrument est subordonnée à ce qui gouverne et qui utilise.

Mais une partie de l'âme est la raison – c'est précisément la partie qui, conformément à la nature, gouverne et juge les affaires qui nous concernent –, tandis que l'autre suit et a pour nature d'être gouvernée. Or toute chose est bien disposée quand elle l'est conformément à sa vertu propre. Car le fait d'avoir atteint cette vertu est un bien.

Et c'est quand ce qu'il y de plus important, de plus souverain et de plus honorable possède sa vertu, que tout est bien disposé. Par conséquent, c'est la vertu naturelle de ce qui est naturellement meilleur, qui est la meilleure. Or est meilleur ce qui, conformément à la nature, est plus apte à gouverner et plus propre à diriger, comme l'homme par rapport aux autres animaux. Aussi l'âme est-elle meilleure que le corps (car plus apte à gouverner), et, dans l'âme, est meilleur ce qui possède raison et pensée. En effet, c'est là ce qui commande et qui interdit, qui dit s'il faut ou s'il ne faut pas agir.

Dès lors, quelle que soit la vertu de cette partie, elle est nécessairement, parmi toutes, la plus digne de choix absolument pour tous [les êtres] en général, et pour nous [en particulier]. Et, en effet, on peut soutenir, je crois, que nous-mêmes nous sommes seulement ou principalement cette partie-là.

En outre, quand ce qui constitue l'œuvre naturelle de chaque chose (non par coïncidence, mais en soi) se trouve accompli de la plus belle manière qui soit, il faut dire que cette chose est aussi un bien, et poser en principe comme suprêmement souveraine la vertu conformément à laquelle chaque chose accomplit naturellement cette œuvre même.

Or, de ce qui est composé et constitué de parties, multiples et diverses sont les opérations, alors que, de ce qui est simple par nature et dont la substance ne consiste pas dans une relation à quelque chose d'autre, il n'y a nécessairement qu'une seule vertu souveraine.

Si donc l'homme est un animal simple et que sa substance est ordonnée conformément à la raison et à l'intelligence, son œuvre n'est rien d'autre que la vérité la plus exacte et le jugement vrai sur les êtres. Et s'il est composé de capacités multiples, il est clair que pour celui qui accomplit naturellement plusieurs choses, c'est toujours la meilleure de celles-ci qui est son œuvre propre : par exemple, l'œuvre du médecin est la santé, et celle du timonier, la préservation [du navire]. Or nous ne pouvons pas nommer de meilleure œuvre de la pensée, ou de la partie pensante de notre âme, que la vérité. La vérité est donc l'œuvre la plus souveraine de cette partie de l'âme.

Cette œuvre, elle l'exécute généralement conformément à la science, plus précisément à ce qui est le plus la science [28]. Or l'accomplissement le plus souverain de celle-ci est la contemplation. En effet, quand de deux choses qui existent, l'une est digne d'être choisie à cause de l'autre, est meilleure et plus digne de choix celle grâce à laquelle l'autre en est digne aussi : par exemple, le plaisir est plus digne d'être choisi que les choses plaisantes, et la santé plus que les choses saines. Car celles-ci sont dites productrices de celles-là.

Or, en ce qui concerne la sagesse, que nous affirmons être la capacité de l'élément le plus souverain en nous, il n'y a rien qui soit plus digne de choix, quand on juge un état [de l'âme] comparativement à un autre. Car la partie cognitive, qu'elle soit séparée ou en composition [avec les autres parties], est meilleure que l'âme tout entière, et la science qui est la sienne est vertu [29].

Aucune des vertus dites particulières n'est donc l'œuvre de cette science-là ; car cette science est meilleure que toutes [les vertus], alors que l'accomplissement produit est toujours supérieur à la science qui le produit. En ce sens-là [au sens de ce qui est produit], aucune vertu de l'âme n'est son œuvre, pas plus que ne l'est le bonheur. En effet, si elle était productrice d'autres choses, elle serait autre que les choses produites, comme l'architecture est autre que l'habitation puisqu'elle n'est pas une partie de l'habitation. Pourtant, la sagesse est une partie de la vertu et du bonheur ; car nous affirmons que le bonheur vient d'elle ou se confond avec elle.

Dès lors, conformément à ce raisonnement aussi, il est impossible qu'elle soit une science productrice. Car l'accomplissement doit être meilleur que ce qui est engendré [en vue d'atteindre cet accomplissement]. Or il n'y a rien de meilleur que la sagesse (sauf si c'est une des choses que nous avons dites [l'accomplissement et le bonheur], mais aucune de celles-ci n'est une œuvre autre qu'elle). Donc, il faut affirmer que cette science est contemplative, puisque son accomplissement ne peut être une production.

Par conséquent, exercer la sagesse et contempler est l'œuvre de la vertu, et, entre toutes choses, c'est la plus digne de choix pour les hommes, de même que voir l'est aussi, je crois, pour les yeux : c'est ce qu'on choisirait d'avoir, même si par là ne devait en résulter rien d'autre que la vue elle-même.

En outre, si l'on aime une chose à cause d'une [propriété] qui coïncide avec elle, il est clair qu'on voudra davantage celle à laquelle appartient davantage cette propriété-là. Par exemple, s'il arrive à quelqu'un de choisir de se promener parce que c'est sain, mais que courir est plus sain et se trouve en son pouvoir, il choisira davantage cela, et il le choisirait plus rapidement encore s'il savait [que c'est plus sain]. Dès lors, si l'opinion vraie ressemble à la sagesse et qu'avoir des opinions vraies est digne de choix par le fait même, c'est-à-dire dans la mesure où c'est quelque chose qui ressemble à la sagesse par la vérité, mais que cette dernière propriété [la vérité] appartient davantage à la sagesse, alors exercer la sagesse sera plus digne de choix qu'avoir des opinions vraies.

De plus, si nous aimons à exercer la vue pour elle-même, cela témoigne à suffisance que tous les hommes aiment suprêmement à exercer la sagesse et à connaître.

Car ce qu'ils aiment en aimant vivre, c'est exercer la sagesse et la connaissance. En effet, ils n'honorent la vie pour rien d'autre que la sensation et surtout la vue. De fait, ils paraissent bien chérir cette capacité au plus haut point, car, comparée aux autres sensations, elle est absolument comme une science.

Cependant, c'est par le fait de sentir que la vie se distingue de l'absence de vie, ce qui veut dire que la vie se définit par la présence et la capacité de la sensation, et qu'une fois celle-ci enlevée, il ne vaut plus la peine de vivre, comme si, avec la sensation, la vie elle-même était enlevée.

Dans la sensation, la capacité de la vue est différente, du fait qu'elle est la plus sûre, et c'est pourquoi aussi nous la choisissons plus que toute autre. Mais toute sensation est capacité de connaître par le moyen du corps : par exemple, l'ouïe a la sensation du son par le moyen des oreilles.

Si donc la vie est digne de choix grâce à la sensation, et si la sensation est une certaine connaissance, alors nous choisissons aussi la vie parce que, grâce à elle, l'âme est capable de connaître.

Mais nous avons dit précédemment que, de deux choses, est toujours plus digne de choix celle à laquelle appartient davantage la même propriété. Dès lors, parmi les sensations, c'est la vue qui est nécessairement la plus digne de choix et la plus honorable. Mais davantage qu'elle et que toutes les autres, davantage que la vie elle-même, est digne de choix la sagesse, car celle-ci est davantage souveraine [maîtresse] de la vérité. C'est pourquoi tous les hommes poursuivent la sagesse par-dessus tout.

## XI. C'EST DANS LA PHILOSOPHIE
### QUE CONSISTE LE VRAI BONHEUR

Maintenant, qu'à ceux qui ont choisi la vie conforme à l'intelligence, il revient de vivre aussi avec le maximum de plaisir, ce qui suit le montrera clairement.

Il apparaît que « vivre » se dit en deux sens : conformément à la capacité et conformément à l'opération. Nous affirmons, en effet, que sont voyants aussi bien les animaux qui possèdent la vue et sont naturellement capables de voir, même s'ils se trouvent avoir les yeux fermés, que ceux qui font usage de cette capacité et projettent leur vue [sur un objet]. Il en va de même avec « être savant » ou « connaître » : par là nous voulons dire tantôt « faire usage » et « contempler », tantôt « avoir acquis la capacité [de savoir ou de connaître] » et « avoir la science ».

Si donc nous distinguons la vie de l'absence de vie par le fait de sentir, et si « sentir » se dit en deux sens – souverainement, c'est faire usage des sensations, et autrement, c'est en être capable (c'est justement pourquoi, semble-t-il, nous affirmons que même le dormeur sent) –, il est clair que « vivre » se dira aussi en deux sens. Car on doit affirmer que c'est l'individu éveillé qui vit véritablement et souverainement, et que le dormeur [ne vit que] parce qu'il est capable de passer à ce type de mouvement, d'après lequel nous disons qu'il est éveillé et qu'il sent l'une ou l'autre chose [30].

Quand donc on dit de deux êtres qu'ils sont chacun identiques en quelque chose, mais que l'un des deux est dit tel du fait qu'il produit ou subit [quelque chose], nous admettrons qu'à ce dernier appartient plus ce qui est dit [des deux]. Par exemple, nous dirons que celui qui fait usage de la science *est* plus *savant* que celui qui la possède, et que celui qui projette la vue [sur un objet] *voit* plus que celui qui est capable de la projeter[31].

En effet, dans les choses pour lesquelles il n'y a qu'un seul nom, nous disons « plus », non seulement d'après la supériorité mais aussi d'après le fait que l'une est antérieure et l'autre postérieure. Par exemple, nous affirmons que la santé est un bien *plus* que les choses saines, et qu'une chose naturellement digne d'être choisie pour elle-même l'est *plus* aussi que ce qui la produit. Pourtant, nous voyons que le nom [de bien] n'est pas attribué à ces deux choses au sens strict, parce que chacune est un bien, alors qu'il est question ici de choses avantageuses et là de la vertu[32].

Il faut donc affirmer que l'individu éveillé vit *plus* que le dormeur, et que celui dont l'âme opère vit *plus* que celui qui ne fait que la posséder. Car c'est à cause du premier que nous affirmons que le second *vit* aussi, parce que le second est capable de subir ou de produire [quelque chose] à la manière du premier.

On fait usage d'une chose, quelle qu'elle soit, lorsque, étant capable d'une seule chose, on fait passer celle-ci à l'acte, et lorsque, étant capable de plusieurs choses, on fait passer à l'acte la meilleure d'entre elles. Par exemple, on fait usage des flûtes seulement ou principalement quand on en joue (car nous raisonnons vraisemblablement de la même manière dans les autres contextes où apparaissent les mots « usage » ou « opération »). C'est pourquoi il faut aussi affirmer que celui qui use correctement [d'une chose] en use davantage[33]. En effet, le but et le mode d'utilisation naturels [d'une chose] appartiennent à celui qui en use bellement et exactement.

Maintenant, l'œuvre unique ou principale de l'âme est de penser et de raisonner. Aussi est-il simple et facile pour tout le monde de faire le raisonnement suivant : est plus vivant [34] celui qui pense correctement, et plus que tout le monde celui qui émet les jugements les plus vrais. Mais celui-là, c'est celui qui exerce la sagesse et qui contemple en conformité avec la science la plus exacte. Aussi est-ce à ce moment-là et à ces gens-là – à ceux qui exercent la sagesse et aux sages – qu'il faut attribuer la vie accomplie.

Mais si, pour tout animal, la vie est exactement la même chose que l'existence, alors il est clair que c'est le sage qui, parmi tous, existera au plus haut point et le plus souverainement, et, plus qu'à tout autre moment, quand il sera à l'œuvre et qu'il se trouvera contempler le plus connaissable des êtres [35].

Au demeurant, l'opération accomplie et sans entrave a en elle-même sa jouissance, si bien que l'opération contemplative est la plus plaisante de toutes.

De plus, il y a une différence entre « boire *tout en éprouvant* du plaisir » et « boire *avec* plaisir ». Car rien n'interdit que quelqu'un qui n'a pas soif ou qui n'est pas en présence d'une boisson qui le réjouit, n'éprouve une joie en buvant, non pas *parce qu*'il boirait, mais parce que au même moment cela *coïncide* [pour lui] avec le fait qu'étant assis, il contemple ou est contemplé. Nous affirmerons donc que cet individu éprouve du plaisir et qu'il boit *tout en éprouvant* du plaisir, mais non pas qu'il l'éprouve *parce qu*'il boit, ni qu'il boit *avec* plaisir. De même, nous dirons que la marche, la position assise, l'apprentissage, ou n'importe quel autre mouvement sont plaisants ou pénibles, non pas parce que le fait d'éprouver de la douleur ou de la joie coïncide avec la présence de ces mouvements, mais parce que nous éprouvons de la douleur ou de la joie *du fait de* leur présence.

De même encore, nous dirons plaisante la vie dont la présence est plaisante pour ceux qui la possèdent, et que vivent plaisamment, non pas tous ceux pour lesquels il y a [simple] coïncidence entre vivre et se réjouir, mais bien ceux pour qui le fait même de vivre est plaisant et qui jouissent du plaisir de la vie.

C'est pourquoi nous attribuons la vie à l'individu éveillé plutôt qu'au dormeur, et à celui qui exerce la sagesse plutôt qu'à celui qui en est dépourvu, pourquoi aussi nous affirmons que le plaisir de la vie est le plaisir engendré par l'usage de l'âme, car là est la vraie vie.

Dès lors, s'il y a plusieurs usages de l'âme, le plus souverain de tous est certes d'exercer la sagesse le plus possible. Il est donc clair que le plaisir engendré par l'exercice de la sagesse et de la contemplation est nécessairement, seul ou à titre principal, celui qui découle de la vie. Par conséquent, c'est seulement ou principalement aux philosophes qu'il appartient de vivre plaisamment et de se réjouir véritablement. En effet, l'opération des intellections les plus vraies, celle qui se nourrit des êtres les plus réels et qui conserve toujours de façon permanente la perfection reçue [de ces êtres], est, de toutes [les opérations], la plus efficace sous le rapport de la joie.

Et s'il faut non seulement raisonner à partir des parties du bonheur, mais encore remonter plus haut et établir la même conclusion à partir de l'intégralité de ce bonheur, disons alors explicitement que, de la même façon que l'acte de philosopher est en rapport avec le bonheur, il est aussi en rapport avec le fait que nous ayons des dispositions sérieuses ou bien des défauts [36]. Car les choses doivent toutes être choisies par l'ensemble des hommes, les unes parce qu'elles mènent à cela [au bonheur], les autres parce qu'elles en découlent ; et, parmi les choses qui nous rendent heureux, les unes sont nécessaires et les autres plaisantes [37].

Nous posons donc en principe que le bonheur est la sagesse et une sorte de savoir, ou bien la vertu, ou encore la joie la plus grande, [ou même] tout cela ensemble.

Or, s'il est la sagesse, il est manifeste que c'est aux seuls philosophes qu'il appartiendra de vivre heureux. Et si c'est une vertu de l'âme ou la joie, cela leur appartiendra aussi à eux seuls, ou à eux plus qu'à tous les autres. Car la vertu est ce qu'il y a de plus souverain en nous, et la sagesse ce qu'il y a de plus agréable quand on compare toutes choses une à une. Semblablement, même si on dit que toutes ces choses ensemble sont identiques au bonheur, on devra alors déterminer celui-ci comme l'exercice de la sagesse.

Ainsi doivent philosopher tous ceux qui en sont capables. Car c'est là ou bien l'accomplissement de la vie bonne, ou bien, de toutes choses, quand on les envisage une à une, celle qui est le plus la cause [de la vie bonne] pour les âmes

En outre, il ne semble pas plus mal d'éclairer notre propos en partant de ce qui apparaît de manière visible à tous.

Or donc, à tout un chacun, il saute aux yeux que nul

ne choisirait de vivre en ayant le maximum de fortune et de pouvoir venant des hommes, mais après avoir perdu l'exercice de la sagesse, c'est-à-dire en étant fou, pas même si cet individu devait poursuivre dans la joie les plaisirs les plus violents [38], comme y passent leur temps certains esprits dérangés. Aussi est-ce la démence, semble-t-il, que tout le monde fuit par-dessus tout. Or le contraire de la démence est la sagesse, et de deux contraires, l'un est à fuir, l'autre à choisir.

Donc, de la même façon qu'il faut fuir la maladie, il nous faut choisir la santé. Ainsi, à ce qu'il semble, encore conformément à ce raisonnement, la sagesse paraît, parmi toutes choses, la plus digne de choix, mais non pas à cause d'autre chose qui coïnciderait avec elle. En effet, quand on aurait tout, mais qu'on serait handicapé et malade dans la partie qui exerce la sagesse, la vie ne serait pas digne d'être choisie ; car il n'y aurait aucun avantage aux autres biens.

Par conséquent, ce sont tous les hommes, pour autant qu'ils aient la sensation d'exercer la sagesse [39] et qu'ils soient capables de goûter la chose, qui croient que le reste n'est rien, et c'est pourquoi aucun de nous ne supporterait d'accomplir sa vie dans l'ivresse ou dans l'enfance.

C'est pour cela aussi que dormir est une chose très plaisante, mais non digne de choix, même si nous admettons que tous les plaisirs sont présents chez le dormeur, car les images du sommeil sont erronées, mais celles de la veille vraies. En effet, être endormi et être éveillé ne diffèrent en rien, sinon par le fait qu'étant éveillée, l'âme est souvent dans le vrai, alors que celui qui dort est toujours dans l'erreur. Car ce qui relève des visions du sommeil n'est que simulacre et mensonge total.

Le fait que le vulgaire fuit la mort montre aussi le désir d'apprendre de l'âme. Car elle fuit ce qu'elle ne connaît pas, ce qui est obscur et dépourvu de clarté, alors qu'elle poursuit naturellement ce qui est manifeste et connaissable. Et c'est pourquoi ceux qui sont pour nous les causes principales de ce que nous voyons le soleil et la lumière, nous affirmons qu'il faut les honorer au plus haut point, c'est-à-dire qu'il faut vénérer père et mère comme les causes des plus grands biens. Or ils sont cause, semble-t-il, de ce que nous exerçons la sagesse et la vue. C'est pour ce motif encore que nous nous réjouissons de ce qui nous est familier – qu'il s'agisse de choses ou d'hommes – et que nous appelons « amis » ceux que nous connaissons. Tout cela montre donc nettement que ce qui est connaissable, manifeste et évident est digne d'être aimé. Mais, si ce qui est connaissable et net l'est, alors il est clair aussi que la connaissance et la sagesse devront l'être pareillement.

En outre, de même qu'en ce qui concerne la fortune, les hommes ne l'acquièrent pas de façon identique en vue de vivre et en vue de vivre *heureux*, en ce qui concerne la sagesse également, nous n'avons pas besoin de la même, je crois, pour seulement vivre et pour vivre *bellement*. On peut donc bien pardonner au vulgaire d'agir ainsi. Car il fait des vœux pour être heureux, mais il est satisfait même s'il n'est capable que de vivre. Toutefois, pour celui qui croit qu'il ne faut pas supporter de vivre de n'importe quelle manière, il est ridicule de ne pas souffrir toute souffrance et de ne pas prendre très sérieusement les choses au sérieux [40] dans le but d'acquérir cette sorte de sagesse qui connaîtra la vérité.

## XII. Conclusion et péroraison [41]

On peut arriver à la même conclusion à partir des considérations suivantes, si l'on contemple la vie humaine en pleine lumière. On trouvera, en effet, que les choses qui semblent grandes aux hommes ne sont toutes que de la peinture en trompe-l'œil. D'où l'on dit aussi bellement que l'homme n'est rien et que rien d'humain n'est stable. Car la force, la grandeur, la beauté sont dérisoires et sans la moindre valeur. Et la beauté ne semble telle que parce qu'on ne voit rien avec exactitude.

Car si l'on était capable d'un regard perçant, comme c'était le cas, dit-on, de Lyncée [42], qui voyait à travers les murs et les arbres, quand un individu semblerait-il supportable à la vue, à voir de quelles méchantes choses [43] il est constitué? Les honneurs et la gloire, que l'on envie plus que tout le reste, sont pleins d'une futilité indescriptible. Car pour celui qui observe une quelconque des réalités éternelles, c'est une stupidité de prendre ces choses au sérieux. Et qu'y a-t-il de durable ou de permanent parmi les choses humaines? Mais à cause, je crois, de notre faiblesse et de la brièveté de la vie, même cela paraît beaucoup.

Lequel donc, portant son regard sur ces choses, se croirait heureux ou bienheureux, lequel d'entre nous, qui, dès le début, avons été naturellement constitués (ainsi que l'affirment les célébrants de rites initiatiques) comme si nous étions tous destinés à une punition ? Car c'est bien là ce que disent, sous l'inspiration divine, les Anciens : ils affirment que l'âme purge une punition et que nous vivons pour expier de grands péchés [44].

Car la subjugation de l'âme par le corps ressemble tout à fait à quelque chose comme ceci : de même, en effet, que les Étrusques, à ce qu'on affirme, torturent souvent leurs prisonniers en liant les morts aux vivants face à face et membre contre membre, de même l'âme paraît étirée et collée à tous les membres sensitifs du corps.

Rien de divin ou de bienheureux n'appartient donc aux hommes, à part cette seule chose digne d'être prise au sérieux : ce qu'il y a en nous d'intelligence et de sagesse. En effet, parmi les choses qui sont nôtres, celle-là paraît être la seule immortelle, la seule divine…

Et parce que nous sommes capables de participer à cette capacité, la vie, bien que misérable et difficile par nature, a pourtant été arrangée assez finement pour que l'homme, comparé aux autres êtres, semble être un dieu.

« Car l'intelligence est en nous le dieu » [45], et encore : « La vie mortelle a une part divine ». Ainsi donc il faut philosopher, ou bien s'en aller d'ici-bas en disant adieu à la vie, puisque tout le reste paraît un amas de futilités et de frivolités…

# Notes

1. Roi d'une cité de Chypre, inconnu par ailleurs, auquel Aristote adresse son *Protreptique*.
2. Traduction approximative d'une phrase mutilée.
3. Ceux qui ont trop de richesses.
4. La nature particulière de l'homme est la partie rationnelle de son âme, puisque c'est par là qu'il se distingue des autres animaux.
5. La richesse, la force et la beauté.
6. La fin de la phrase manque.
7. Par exemple, un architecte.
8. Littéralement : « souverainement ».
9. Aristote ajoute cette précision pour éviter que l'on considère comme fin de la médecine la maladie, ou comme fin de l'architecture la démolition d'une habitation. En effet, l'art a une fin dans la mesure où il est cause *par lui-même* de ce qu'il produit, mais non quand il en est cause par coïncidence. Par exemple, la médecine, qui est l'art de guérir, est par elle-même cause de la santé, si bien que, dans ce cas-là, on peut dire qu'elle a une fin, qui est précisément la santé. Mais, à la suite d'une erreur du médecin, elle peut être aussi cause de la maladie. Toutefois, dans ce dernier cas, elle n'est cause que *par coïncidence*, et non par elle-même, car on ne peut pas dire qu'elle avait pour fin la maladie.
10. C'est-à-dire sa naissance.
11. Il s'agit des hommes. Aristote répond ici, et dans la dernière

phrase du paragraphe, à une objection développée dans la phrase qui suit celle-ci : comme beaucoup d'animaux, peut-être même la plupart, sont brutaux, violents, destructeurs, on pourrait penser qu'ils ont été engendrés « contre nature », et donc par hasard. Le Stagirite entend montrer que cette objection n'atteint pas son raisonnement, car même si c'est vrai, ce n'est pas le cas pour l'homme, qui est le meilleur et le plus honorable de tous les animaux.

12. Ont été engendrés « par nature » (φύσει) tous les êtres naturels (y compris les avortés et les monstres), par opposition aux objets artificiels ; mais seuls ceux qui ont été engendrés conformément au plan de la nature peuvent être dits engendrés « en conformité avec la nature » (κατὰ φύσιν).

13. Les choses extérieures, par opposition aux biens propres ou intérieurs.

14. Allusion probable à un passage perdu du *Protreptique* qui précédait celui-ci (*cf.* l'imparfait ἦσαν dans le texte grec).

15. Pour cette phrase peut-être corrompue, nous suivons le texte et la traduction du R. P. des Places.

16. Le texte correspondant à la partie de la traduction entre crochets est corrompu et ne donne pas de sens satisfaisant. Pour cette fin de phrase, nous avons donc suivi la traduction anglaise de Düring, qui pense que l'argumentation d'Aristote était probablement celle-ci : « l'intelligence gouverne le corps, qui est notre serviteur. Mais par le corps nous sommes exposés au hasard. Cependant si nous laissons dominer l'intelligence en nous, tout finit bien. »

17. La vie contemplative.

18. Aristote songe sans doute ici au culte des dieux.

19. Il s'agit des causes premières ou des premiers principes de toutes choses, qui variaient selon les philosophes (voir note suivante).

20. Allusion évidente aux premiers principes admis respectivement par Héraclite (le feu), Anaximène (l'air) et Pythagore (le nombre). Les « autres natures » auxquelles il songe aussi sont sans doute les quatre « racines » ou éléments (le feu, l'air, l'eau et la terre) d'Empédocle et les Idées de Platon.

21. La justice, le courage, la tempérance et la sagesse étaient les quatre vertus cardinales de la morale grecque populaire aussi bien que platonicienne.

22. La sagesse elle-même.

23. En effet, dans un festival, plus nous pouvons assister à des spectacles, plus nous sommes satisfaits car on y va essentiellement pour cela, et non pour gagner de l'argent.

24. Dans les arts des artisans.

25. Ceux qui sont inspirés de la nature.

26. Tel est le sens du passage en suivant la leçon des manuscrits : comme un capitaine au long cours, qui navigue en se réglant sur les astres, le philosophe « s'élance sur les flots du réel » (A.J. Festugière) en réglant sa vie sur les Idées platoniciennes. Mais on peut aussi comprendre, en admettant une correction largement adoptée par les éditeurs du texte : « C'est après avoir amarré les principes de sa vie aux réalités fixes et éternelles qu'il *mouille l'ancre*, etc. »

27. En effet, la philosophie est apparue en dernier lieu dans le développement des sciences. *Cf. Métaphysique*, I, 1 : « Puis les arts nouveaux se multiplièrent, dirigés, les uns vers les nécessités de la vie, les autres vers son agrément [...]. De là vient que tous ces différents arts étaient déjà constitués, quand on découvrit ces sciences qui ne s'appliquent ni au plaisir ni aux nécessités... ».

28. Il s'agit, bien sûr, de la philosophie.

29. On pourrait aussi comprendre : « et la science de cette partie est la vertu ».

30. Les derniers mots du paragraphe ne sont qu'une glose que nous n'avons pas traduite.

31. Cf. ce commentaire du P. de Strycker : « Ce qu'Aristote veut dire [...], c'est que la distinction entre l'activité transformatrice et la réceptivité passive n'a pas d'importance pour la question qu'il est en train de traiter. Que le processus de la vue ou du savoir soit conçu comme actif ou passif (réceptif), c'est l'exercice même de cette activité ou de cette réceptivité, et non la simple capacité (ou faculté) de l'exercer qui permettra de dire d'un sujet qu'il voit ou qu'il sait, au sens propre de ces mots. [...] Aristote ne dit pas ici qu'un des deux sens d'un prédicat comme " voir " implique une activité, l'autre une passivité. Ce qu'il dit, c'est que si " deux sujets reçoivent le même prédicat, et que chez l'un des deux ce soit en vertu d'une activité ou d'une passivité qu'il exerce, c'est à celui-ci que *par préférence* nous reconnaîtrons qu'appartient le prédicat ". »

32. Seule la vertu est un bien au sens strict, car elle est digne d'être choisie pour elle-même ; les choses avantageuses, comme la santé, ne sont des biens qu'en un sens second ou dérivé.

33. C'est-à-dire à un degré plus élevé.

34. Au sens d'une qualité de vie supérieure.

35. Pour Aristote, le plus connaissable (en soi) de tous les êtres est bien sûr Dieu.

36. Aristote a déjà montré, au début du *Protreptique*, que le bonheur consistait dans une bonne disposition morale et intellectuelle de l'âme.

37. Les choses nécessaires sont les biens matériels (les biens extérieurs et les biens du corps : la santé, une certaine aisance économique, une vie de famille satisfaisante, etc.), qui sont des conditions indispensables pour une vie heureuse mais qui n'en constituent pour autant pas le bonheur lui-même, car, comme nous l'avons vu, celui-ci consiste essentiellement dans la contemplation philosophique. Les choses (réellement) plaisantes sont donc les biens de l'âme et, plus particulièrement, la sagesse.

38. Sans doute les plaisirs des obsédés sexuels.

39. Ou bien, si l'on admet la correction de Düring : « dans la mesure où ils entrent en contact avec la sagesse ».

40. Par ces formules redondantes, nous avons essayé de rendre les redondances présentes dans le texte grec.

41. Notez le ton oratoire de cette conclusion et surtout des trois derniers paragraphes, qui constituent la péroraison de tout le discours.

42. L'un des Argonautes, dont la vue était perçante.

43. Les viscères.

44. Allusion probable à la croyance orphique et pythagoricienne en un péché originel.

45. Jamblique a noté ici en glose : « c'est ce qu'a dit soit Hermotime, soit Anaxagore ».

# Lexique

ἄθλιος : misérable.
αἱρετός : digne de choix.
ἀκρίβεια : exactitude.
ἀλήθεια : vérité.
ἄξιόν εστι : il vaut la peine.
ἄρετή : vertu.
ἄρχειν : gouverner.
βέβαιος : stable.
βλέπειν : regarder.
βοηθεῖν : aider.
γένεσις : genèse.
γίγνεσθαι : être engendré.
γνῶσις : connaissance.
δημιουργός : artisan.
διακεῖσθαι : être disposé.
διανοήσεις : pensées (au pluriel).
διάνοια : pensée.
διαφέρειν : faire une différence, différer de.
δοξάζειν : avoir des opinions.
δρᾶν : exécuter.

δύναμις : capacité (ou pouvoir, dans un contexte social).
ἐνέργεια : opération.
ἕξις : état, qualité (de l'âme).
ἐπιεικής : convenable.
ἐπιστήμη : science.
ἐπιτάττειν : prescrire.
ἔργον : œuvre.
εὐδαίμων : heureux.
ἡδονή (et dérivés) : plaisir (et dérivés)
ἡγεμονικόν : apte à diriger.
θεωρεῖν : contempler.
θεωρία : contemplation.
κτᾶσθαι : acquérir.
κύριος : souverain.
κυρίως : souverainement.
μακάριος : bienheureux.
νόησις : intellection.
νομίζειν : considérer.
νοῦς : intelligence.
οἴεσθαι : croire.
ὁρίζειν : déterminer.
οὐσία : substance (ou fortune, dans un contexte social).
πάσχειν : subir.
πλεονέκτημα : commodité.
ποιεῖν : produire, faire.
πόλις : État.
πονεῖν : souffrir.
πρᾶξις : action.
πράττειν : agir, réaliser.
σοφία : savoir.
σπουδαῖος : sérieux.
συμβαίνειν : coïncider.

συμφέρον :profitable.
σωτηρία : préservation.
σώφρων : tempérant.
τέλος : accomplissement.
τέχνη : art.
τιμᾶν : honorer.
τίμιος : honorable.
φαῦλος : qui a des défauts, défectueux.
φρονεῖν : exercer la sagesse
φρόνησις : sagesse.
χαίρειν : se réjouir.
χρήσιμος : utile.
ὠφέλιμος : avantageux.

# Le prince des philosophes

Par un étrange caprice du destin, Aristote, surnommé le « prince des philosophes », a laissé dans l'histoire de la pensée et de la littérature occidentales une image diamétralement opposée à celle de son maître Platon. En effet, alors que celui-ci apparaît comme le plus pur représentant de la tradition idéaliste en philosophie, le Stagirite est généralement considéré comme un réaliste, voire comme un empiriste. D'autre part, Platon est sans conteste l'un des plus grands prosateurs de tous les temps. On à même pu dire de sa prose qu'elle était « peut-être la plus merveilleuse de toutes les réalisations littéraires » (A.E. Taylor). De fait, ses dialogues socratiques sont autant de fêtes de l'esprit, où se combinent dans un tout harmonieux une imagination poétique luxuriante, une dialectique aussi fine qu'éblouissante, et l'humour le plus subtil qui soit. Au contraire, les œuvres d'Aristote que nous connaissons sont en général d'un laconisme réfrigérant. Presque toujours l'expression y est sèche et formelle, la langue, remplie de termes techniques, et l'argumentation, concise au point de friser maintes fois l'obscurité. Préoccupé avant tout de dire les choses de manière « scientifique », notre auteur se méfie de l'imagination, méprise les recherches de style, et même néglige souvent les règles les plus élémentaires de la composition littéraire. Pourtant, dans l'Antiquité, un écrivain aussi racé que Cicéron pouvait évoquer Aristote « répandant, comme un vaste fleuve, les trésors de son éloquence » (*Académiques*, II, XXXVIII). Pareille appréciation ne saurait manquer d'étonner l'étudiant contraint de lire la *Métaphysique* quand ce texte est au programme de terminale. Et la surprise de cet étudiant augmenterait sans doute s'il apprenait qu'Épicure et ses contemporains considéraient le Stagirite comme un idéaliste platonicien typique…

La chose s'explique par ce caprice du destin que nous venons d'évoquer. Il faut savoir, en effet, qu'il ne nous reste qu'un cinquième des écrits du maître du Lycée, constitué essentiellement d'ouvrages scientifiques et philosophiques de haute technicité. Mais dans son état d'origine, l'œuvre d'Aristote, l'une des plus considérables et des plus variées qui aient jamais été produites dans l'Antiquité, comprenait des lettres, des poésies, des dialogues, des essais littéraires, aussi bien que des traités et des enquêtes concernant toutes les branches de la science de son temps.

Si on laisse de côté les lettres et les poésies, on peut répartir ces ouvrages en trois catégories.

1° Les écrits auxquels Aristote lui-même donnait le nom d'« ouvrages exotériques » ou d'« ouvrages publiés ». À l'instar des dialogues de Platon, ces écrits étaient, pour ainsi dire, des essais littéraires, destinés à un public assez large qu'on souhaitait convertir ou du moins intéresser à la philosophie. Beaucoup datent du temps où Aristote était encore un assistant de Platon à l'Académie. L'influence du maître y est d'ailleurs sensible, tant dans la forme que dans le contenu : la plupart d'entre eux étaient en effet des dialogues, certains contenaient un mythe, et dans plusieurs Aristote défendait un platonisme exacerbé, notamment à propos des rapports entre l'âme et le corps.

2° Les écrits « hypomnématiques » (ou mémorandums : recueils de notes personnelles et d'extraits d'ouvrages d'autrui), et les collections de matériaux réunis en vue de la confection de traités scientifiques. Comme les ouvrages exotériques, ces écrits étaient destinés à la publication, mais, par leur nature, ils appartenaient plutôt au genre de la compilation savante. Vu la quantité de matériaux qu'ils contenaient, il est presque certain qu'Aristote les avait composés avec l'aide d'assistants et de collaborateurs. Cette catégorie d'écrits comprenait notamment des *Didascalies* (listes de pièces de théâtre présentées aux festivals de Dionysos à Athènes), une collection de *Coutumes des Barbares*, un recueil de 158 *Constitutions de Cités*, une série de *Problèmes* (physiques et mécaniques), et sans doute aussi l'*Histoire des animaux*. À l'exception de celle-ci, d'une partie des *Problèmes*, et de la *Constitution d'Athènes*, retrouvée dans les sables d'Égypte en 1890, ces ouvrages documentaires sont également perdus.

3° Les « traités », qui représentent ce qu'on appelle aujourd'hui le *Corpus* aristotélicien. La nature exacte de ces traités n'a jamais cessé d'être discutée. Pour certains, il s'agirait de notes, rédigées par Aristote en vue de ses leçons ou prises par ses élèves au cours de celles-ci. Pour d'autres, ce seraient plutôt des manuels ou des notes de travail à l'usage de ses étudiants du Lycée, spécialement de ceux qui ne pouvaient pas assister aux cours, à moins que ce ne fût des mémorandums rédigés après coup pour conserver une trace des leçons et des discussions qui fût plus exacte ou plus précise que le souvenir ou les notes personnelles des étudiants. En tout état de cause, ces traités n'étaient pas destinés à la publication. Bien que certains aient été commencés à l'époque de son séjour à Assos et à Mytilène, ils ne reçurent certainement leur forme définitive qu'à l'époque de son enseignement au Lycée.

Selon Strabon et Plutarque, à la mort de Théophraste, à qui Aristote les avait légués, ils auraient été confiés à un certain Nélée, de Skepsis en Troade. Mais les héritiers de celui-ci, gens incultes, les auraient enfouis dans une cachette pour les soustraire à la convoitise des rois bibliothécaires de Pergame. Ce n'est que beaucoup plus tard (au début du Iᵉʳ siècle avant J.-C.) qu'ils auraient été achetés aux descendants de Nélée par Apellicon de Téos. Ce dernier les aurait alors publiés en essayant de réparer les dégâts causés à ces manuscrits par la vermine et par l'humidité, mais plus bibliophile que philosophe, il aurait mal comblé les lacunes et n'aurait donné qu'une édition pleine de fautes. Enfin, après la mort d'Apellicon, vers 86 avant J.-C., le dictateur romain Sylla aurait transporté ces livres d'Athènes à Rome, où ils auraient été mis en ordre par le grammairien Tyrannion, puis édités par Andronicus de Rhodes. C'est cette édition d'Andronicus qui est à la base du *Corpus* actuel.

Même si cette histoire est apocryphe (comme le croient nombre de critiques actuels), elle témoigne certainement du fait qu'avant l'édition d'Andronicus, les traités aristotéliciens étaient peu connus à l'extérieur de l'École péripatéticienne. En revanche, après cette édition, c'est vers eux, plutôt que vers les œuvres exotériques, que se tournèrent tout naturellement ceux qui voulaient étudier et approfondir la pensée du maître du Lycée. C'est ainsi que, dès l'époque d'Andronicus (milieu du I$^{er}$ siècle avant J.-C.), les traités commencèrent à faire l'objet de commentaires savants écrits par des philosophes péripatéticiens. Ce travail exégétique culmina, au début du III$^e$ siècle de notre ère, avec l'œuvre d'Alexandre d'Aphrodise, qui affirma que dans les traités Aristote exposait sa propre pensée et la vérité, tandis que dans les œuvres exotériques il présentait les opinions (fausses à ses yeux) des autres philosophes. D'autres commentateurs supposèrent que dans ses traités le Stagirite voulait enseigner à ses élèves du Lycée une doctrine secrète, différente de celle que dans les œuvres exotériques il proposait aux gens de l'extérieur. En tout cas, à partir d'Andronicus et jusqu'au milieu du XIX$^e$ siècle, on tint pour acquis que la vraie philosophie d'Aristote se trouvait dans ses traités plutôt que dans les œuvres exotériques, ce qui contribua à faire tomber celles-ci dans l'oubli.

La situation changea radicalement dans la deuxième moitié du XIX$^e$ siècle, lorsque d'éminents philologues identifièrent, dans des œuvres de divers auteurs de l'Antiquité, la présence de passages entiers extraits littéralement des ouvrages exotériques d'Aristote que l'on croyait entièrement perdus. Pour certains de ces ouvrages, les « fragments » ainsi retrouvés étaient suffisamment longs et consistants pour que l'on pût se faire une idée assez précise du contenu de l'œuvre d'où ils avaient été tirés. C'est ainsi que l'on fit la découverte d'au moins trois « nouvelles » œuvres d'Aristote absentes du Corpus : les deux dialogues *Eudème* (ou *De l'âme*) et *Sur la philosophie*, ainsi que le *Protreptique*.

La question reste débattue de savoir si ce *Protreptique* ou *Exhortation* (à la philosophie) était un dialogue comme les deux autres œuvres susdites. Mais la majorité des spécialistes pensent aujourd'hui qu'il s'agissait plutôt d'un discours continu. L'œuvre, écrite peu avant 350, c'est-à-dire à une époque où Aristote se trouvait encore à l'Académie, est adressée au roi d'une cité-État de Chypre, Thémison, illustre par sa fortune et sa réputation, que notre auteur espérait visiblement convertir à la philosophie pour en faire un de ces rois-philosophes dont Platon rêvait et qu'il évoque dans sa *République* et sa *Septième Lettre*. Aristote y montre que l'accomplissement ultime de la nature humaine ne consiste pas dans l'acquisition de grandes richesses, ni dans l'exercice aveugle du pouvoir, mais bien dans la pratique de la philosophie, de sorte que c'est dans celle-ci que se trouve le vrai bonheur de l'homme. Cette conviction, qui était déjà celle de Socrate et de Platon, Aristote la gardera toute sa vie, même si plus tard il consacrera à l'étude du monde physique plus de temps et d'efforts que ne l'avait fait le maître de l'Académie. Sur le plan doctrinal, bien que l'influence de Platon y demeure sensible, notamment en ce qui concerne le statut de l'âme, le *Protreptique* présente déjà la plupart des idées qui feront la spécificité de l'aristotélisme dans la philosophie occidentale : la différence entre l'acte et la puissance, ainsi qu'entre la substance et les accidents, la téléologie (c'est-à-dire la doctrine selon laquelle il y a, pour chaque être vivant et pour l'homme en particulier, une nature spécifique dont la réalisation constitue l'accomplissement de cet être), l'impossibilité de la régression à l'infini dans la série des causes, la théorie de l'art comme imitation de la nature, la place privilégiée de la biologie et de la physiologie dans la réflexion anthropologique, enfin l'idée que c'est l'homme sérieux (moralement parlant) qui constitue la norme de l'action vertueuse. Enfin, on y trouve déjà aussi le goût prononcé d'Aristote pour le raisonnement logique, en particulier pour le syllogisme. Par tous ces traits, cet écrit de jeunesse du Stagirite constitue non seulement une invitation à la philosophie en général, mais aussi une sorte d'introduction à l'aristotélisme en particulier.

Le *Protreptique* fut très populaire dans l'Antiquité et il exerça une profonde influence sur Épicure (*Lettre à Ménécée* ou *Lettre sur le bonheur*), Cicéron (auquel il servit de modèle pour l'*Hortensius*, qui devait à son tour influencer saint Augustin), Clément d'Alexandrie, saint Basile et Boèce. Enfin, le néoplatonicien Jamblique (mort vers 330 après J.-C.) en reproduisit de larges extraits (au moins un tiers) dans son propre *Protreptique*, où le philologue allemand Ingram Bywater les identifia, en 1869, comme étant en réalité d'Aristote. Il faut dire que, dans l'École néoplatonicienne, les œuvres exotériques d'Aristote étaient classées avec les écrits des anciens pythagoriciens et les dialogues de Platon, et que tous ces ouvrages d'auteurs anciens faisaient l'objet d'une véritable vénération, comme s'il se

fût agi de textes sacrés. L'illustre philologue et histo-
rien allemand Werner Jaeger y voyait d'ailleurs « un
exemple de la puissance considérable exercée alors
par la tradition déposée dans les livres », puissance
également présente « dans le christianisme et dans le
judaïsme de la même époque, et plus tard dans
l'islam ». C'est dire combien ce texte, qui nous paraît
aujourd'hui mineur, fut en réalité l'un de ceux qui
modelèrent la grande tradition philosophique de
l'Occident et du Moyen-Orient.

JACQUES FOLLON

# Vie d'Aristote

On sait peu de choses avec certitude et précision concernant la vie d'Aristote. À vrai dire, rares sont les renseignements fournis par ses biographes anciens dont l'exactitude ou l'authenticité n'aient pas été mises en doute par l'un ou l'autre critique moderne. Cela dit, on peut tout de même raisonnablement considérer les données suivantes comme à peu près sûres.

Aristote naquit en 384 avant J.-C. à Stagire, en Chalcidique. Son père appartenait au clan des Asclépiades (dans laquelle la profession médicale était héréditaire) et était le médecin personnel du roi de Macédoine Amyntas III (le père de Philippe II). On peut raisonnablement attribuer à cette ascendance et à l'environnement familial l'intérêt de notre philosophe pour la biologie et la physiologie. À l'âge de dix-sept ans, il vint à Athènes pour y parfaire son instruction et entra à l'Académie de Platon, où il resta jusqu'à la mort de celui-ci, en 347. Platon ayant été remplacé par son neveu Speusippe à la tête de l'Académie, Aristote quitta Athènes pour Assos, en Troade, où il fonda une sorte de filiale de l'Académie avec l'aide d'Hermias, « tyran » (maître souverain) de l'endroit, qui entretenait des relations étroites avec deux élèves de Platon : Coriscos et Érastos. Le Stagirite vécut là quelque temps et épousa la nièce d'Hermias, Pythias, dont il eut une fille, également appelée Pythias. Mais au bout de deux ou trois ans, l'assassinat de son beau-père, tombé aux mains des Perses, le contraignit à se retirer à Mytilène, dans l'île voisine de Lesbos. En 343/342, il fut nommé par le roi Philippe II de Macédoine précepteur du prince héritier Alexandre, alors âgé de treize ans.

En 336, cependant, alors qu'Alexandre venait de succéder à son père sur le trône de Macédoine, Aristote revint à Athènes et, voyant que l'Académie était maintenant dirigée par Xénocrate, il commença à enseigner comme professeur indépendant au Lycée, un gymnase situé à proximité du sanctuaire d'Apollon Lycien (« tueur de loups » ou peut-être « dieu de la Lycie »). En effet, il choisit là « un lieu de promenade (*péripatos*) pour y philosopher avec ses disciples en se promenant. D'où son école prit le nom de péripatéticienne » (Diogène Laërce). C'est durant cette période du Lycée, semble-t-il, qu'Aristote perdit sa première femme et qu'il épousa en secondes noces (ou, selon certaines sources, prit comme concubine) Herpyllis, qui était, comme lui, originaire de Stagire. Elle lui donna un fils, Nicomaque, qui fut probablement le dédicataire ou l'éditeur de l'*Éthique* qui porte son nom.

La mort d'Alexandre, en 323, fut suivie d'une violente réaction antimacédonienne, particulièrement à Athènes. Les liens d'Aristote avec la cour de Macédoine, spécialement avec le vice-roi Antipater, le rendirent impopulaire aux yeux des Athéniens, qui l'accusèrent d'impiété (accusation classique déguisant des griefs politiques). Mais, disant qu'il ne voulait pas leur donner l'occasion de « pécher une deuxième fois contre la philosophie » (allusion à la condamnation et à l'exécution par eux de Socrate), il se retira à Chalcis, dans l'île d'Eubée, et c'est là qu'il mourut l'année suivante, à l'âge de soixante-deux ans.

Son corps fut ramené à Stagire pour y être enterré, et ses concitoyens honorèrent sa mémoire par un festival annuel. Il avait légué sa bibliothèque et les originaux de ses écrits à son disciple Théophraste, qui lui succéda comme chef de l'École péripatéticienne.

Aristote semble avoir joui d'un caractère affectueux et facile à vivre. Les sources anciennes lui attribuent aussi un vif sens de l'humour et de la répartie. Néanmoins, ses écrits donnent l'impression qu'il était quelque peu impatient, du moins sur le plan intellectuel. Diogène Laërce rapporte qu'il avait tendance à bégayer et qu'« il avait de petits yeux, aimait les beaux vêtements et se rasait le visage ». Il existe également une tradition selon laquelle il était chauve. Si c'est vrai, il faudrait alors voir un trait d'humour dans les derniers mots du chapitre 27 du livre V de sa *Métaphysique* : « Un homme n'est pas mutilé s'il a perdu de la chair ou la rate, mais seulement s'il a perdu quelque extrémité, et cela, non pas même toute extrémité : il faut que cette extrémité, une fois complètement retranchée, ne puisse jamais se reproduire. Voilà pourquoi les chauves ne sont pas des mutilés » !

J. F.

# Repères bibliographiques

**OUVRAGES D'ARISTOTE**
Une bonne partie du Corpus – texte grec et traduction – figure
aux Éditions Les Belles Lettres Budé. Nous signalons en outre ici
quelques traductions françaises nouvelles ou récemment
rééditées.

◆ *Constitution d'Athènes,* Belles Lettres Poche, 1996.
◆ *De l'âme,* Garnier-Flammarion, 1993.
◆ *Éthique à Eudème,* Vrin, 1978.
◆ *Éthique à Nicomaque,* Le Livre de Poche, 1992.
◆ *Les Grands Livres d'éthique (La grande morale),* Arléa ,1992.
◆ *La Métaphysique,* Pocket, coll. Agora, 1991.
◆ *Les Parties des animaux,* Garnier-Flammarion, 1995.
◆ *Physique,* Garnier-Flammarion, 2000.
◆ *Physique,* Vrin, 1999.
◆ *Poétique,* Mille et une nuits, 1997.
◆ *Politiques,* Garnier-Flammarion, 1990.
◆ *Rhétorique,* Le Livre de Poche classique, 1991.


**ÉTUDES SUR ARISTOTE**
◆ BASTIT(Michel), *Essais sur la théologie d'Aristote,*
    Éditions Peeters, 1998.

◆ BODEÜS (Richard), *Le Philosophe et la cité*,
Les Belles Lettres, 1982.

◆ COULOUBARITSIS (Lambros), *La Physique d'Aristote : l'avénement
de la science physique*, Éditions Ousia (Bruxelles), 1997.

◆ DE STRYCKER (Émile), « Prédicats univoques et prédicats
analogiques dans le *Protreptique d'Aristote* »,
in *Revue philosophique de Louvain*, n°66 (1968), pp. 597-618.

◆ DUMOULIN (Bertrand), *Recherches sur le premier Aristote*
(Eudème, De la philosophie, Protreptique), Vrin, 1981.

◆ GOBRY (Ivan), *La Philosophie pratique d'Aristote*,
Presses Universitaires de Lyon, 1995.

◆ JAEGER (Werner), *Aristote. Fondements pour une histoire
de son évolution*, Éditions de l'Éclat, 1997.

◆ MANSION (Suzanne), *Études aristotéliciennes*, Éd. de l'Institut
Supérieur de Philosophie (Louvain-la-Neuve), 1984.

*Mille et une nuits* propose des chefs-d'œuvre pour le temps
d'une attente, d'un voyage, d'une insomnie...

Pour chaque titre, le texte intégral, une postface,
la vie de l'auteur et une bibliographie.

49.4546.01.5
Achevé d'imprimer en mai 2000,
sur papier recyclé Ricarta-Pigna par G. Canale & C. SpA (Turin. Italie).